ZEP & HÉLÈNE BRULLER

Glénat

Tchô! La collec...
Collection dirigée par J.C.Camano

Impression et reliure : ***Lesaffre***
Achevé d'imprimer en Belgique en novembre 2003
Dépôt légal : Août 2001

préface

C'est super important de tout savoir sur le zizi sexuel... comment on embrasse avec la langue ? est-ce que les spermatozoïdes de Manu avaient déjà des lunettes ? Si une femme enceinte mange des épinards, est-ce que le bébé dans le ventre se les mange aussi ? pourquoi les filles crient quand on leur pince les nénés ?... c'est important de le savoir, parce que si il y a un test de zizi sexuel à l'école, ça pourrait remonter ma moyenne de maths.

Titeuf

sommaire

1
être amoureux

YOU

être amoureux, c'est quoi ?

L'amour, c'est difficile d'expliquer ce que c'est, même pour les grands. On aime ou on n'aime pas, voilà. Tout ce qu'on sait, c'est que ça peut être le méga-bonheur ou le gros chagrin et que tout le monde a été amoureux un jour. Et même quand ça fait de la peine, on a quand même envie d'aimer et d'être aimé à nouveau parce que ça fait se sentir vivant.

C'est quoi, être amoureux ?

On a des copains et des copines et c'est chouette. Et puis tout à coup, il y a quelqu'un qu'on trouve différent des autres : plus beau, plus sympa, plus tout. Celui dont on est amoureux, on le trouve génial, même s'il a des lunettes ou un gros nez.

Qu'est-ce qui se passe dans la tête ?

On devient un peu rêveur, on fait plus trop attention au reste du monde, on peut même un peu oublier les copains et c'est normal parce qu'on a la tête complètement envahie par l'image de la personne qu'on aime. On y pense tout le temps. On a envie de la voir tous les jours et on est complètement surexcité quand on sait qu'on va la retrouver.

Qu'est-ce qui se passe dans le corps ?

Quand on voit la personne qu'on aime, on a le cœur qui bat très vite. Quand l'élu n'est pas là, il nous manque si fort qu'on peut avoir très mal au ventre.
Et certains sont même tellement émus de voir l'élu de leur cœur qu'ils en vomissent !

C'est quoi, un chagrin d'amour ?

C'est quand on est amoureux d'une personne qui ne nous aime pas, c'est dur.
C'est comme si on nous retirait le plus beau cadeau du monde. Mais quand on s'en remet, on comprend qu'on n'était pas faits pour être ensemble, parce que l'amour, c'est chouette quand c'est réciproque.

Est-ce qu'on peut arrêter d'être amoureux ?

Oui. Parfois on arrête d'être amoureux parce qu'on n'en a plus envie. C'est la vie. Et d'autres fois, c'est parce que la personne qu'on aime ne nous aime pas, alors on aimerait arrêter de l'aimer pour ne plus avoir de peine.

Est-ce qu'on peut avoir de la peine toute la vie ?

On croit toujours qu'on ne s'en remettra jamais, et un jour ça passe. Il n'y a qu'à laisser faire le temps.

Comment on fait pour dire à quelqu'un qu'on l'aime ?

C'est toujours assez difficile de déclarer ses sentiments. Si on n'ose pas le lui dire directement, on peut faire comprendre ce qu'on ressent à la personne qu'on aime en lui écrivant une lettre ou des petits mots. On peut aussi lui faire des petits cadeaux.

Est-ce qu'on peut obliger quelqu'un à être amoureux ?

S'il y a une chose que l'on ne commande pas, c'est bien l'amour ! On peut faire plein de choses pour séduire quelqu'un, mais si ça ne marche pas par la douceur, ça marchera encore moins par la force.

Est-ce qu'on peut être amoureux entre cousins ?

C'est arrivé à beaucoup de gens !
Entre cousins, on peut se tenir la main et se faire des bisous, mais c'est tout. Le mariage entre cousins est déconseillé parce que c'est risqué de faire un bébé avec quelqu'un qui a le même sang que nous : ce bébé pourrait être anormal.

sortir avec quelqu'un...

Quand on est amoureux d'une personne et que cette personne est aussi amoureuse de nous, on est bien partis pour vivre une histoire d'amour. On a envie que la relation dure longtemps, de ne plus se quitter. Alors il y a des tas de signes qui montrent qu'on est « ensemble ».

Sortir avec quelqu'un, c'est quoi ?

Quand on est amoureux d'une personne et qu'elle est aussi amoureuse de nous, on devient beaucoup plus proches et beaucoup plus tendres. On voudrait tout le temps être ensemble. On a envie de s'embrasser, de se faire des câlins. Sortir avec quelqu'un, c'est faire tous ces gestes d'affection.

Quand peut-on dire qu'on sort avec quelqu'un ?

En général, à partir du premier baiser. Il y a des tas de garçons et de filles qui sont amoureux, ils se le disent, ils se font des cadeaux, mais ils ne s'embrassent pas. Pourtant, ils considèrent qu'ils sont « ensemble » simplement parce qu'ils s'aiment.
Pour simplifier, considérons malgré tout qu'on sort avec quelqu'un à partir du jour où on l'a embrassé.

Comment on fait pour sortir avec quelqu'un ?

Tout le monde n'agit pas de la même manière. On peut inviter la personne avec qui on veut sortir (au ciné ou à une fête), on peut aussi se rapprocher d'elle pendant la récré ou à la piscine.

Quand s'embrasse-t-on pour la première fois ?

Pendant un slow à une fête, par exemple, on se rapproche et on finit par s'embrasser. Le plus souvent, c'est le garçon qui embrasse la fille, mais les filles peuvent très bien faire le premier pas. D'autres personnes procèdent par étapes : un jour on se tient la main, le lendemain on est bras dessus bras dessous, et puis on se fait des bisous sur la joue et finalement on s'embrasse sur la bouche.

Combien de temps on reste ensemble ?

Ça dépend ! Des jours, des semaines, des mois, des années, toute la vie ! Parfois on pense qu'on va passer sa vie avec la personne qu'on embrasse mais elle nous envoie balader à la fin du baiser, parfois, heureusement, ça marche mieux.

C'est quoi, « se faire plaquer » ?

C'est quand la personne avec qui on sort nous dit qu'elle ne veut plus qu'on soit ensemble. Plaquer quelqu'un c'est le quitter.

Comment on quitte quelqu'un ?

On peut écrire une lettre à la personne qu'on veut quitter ou lui téléphoner, mais le mieux c'est de lui dire en face qu'on ne veut plus sortir avec elle.

Comment on embrasse ?

LE BAISER TENDRE :

Il existe plein de baisers différents. Les tendres, les baveux, les courts, les longs... Personne n'embrasse de la même manière.

LE BAISER BAVEUX :

Comment on embrasse sur la bouche ?

D'abord, il faut poser sa bouche sur celle de la personne qu'on veut embrasser.
Ensuite on ouvre la bouche (la personne qu'on embrasse ouvre aussi la sienne sinon ça peut pas marcher) et on entre la langue dans la bouche de l'autre. Le but est de caresser la langue de l'autre avec sa langue. Et puis on enroule les langues dans un sens ou dans l'autre. En fait les deux langues s'amusent entre elles. Après, on improvise.

LE BAISER MÉTAL :

Ce qu'il faut faire :

- Il est conseillé de pencher la tête sur le côté, surtout si on a un grand nez...
- Les porteurs de lunettes peuvent les enlever.
- Penser à cracher son chewing-gum avant !
- On peut se toucher avec les mains, se caresser pendant le baiser.

LE BAISER EXPLOSIF :

Ce qu'il ne faut pas faire :

- Fourrer sa langue dans la bouche de l'autre jusqu'au gosier. Le but du baiser n'est pas d'étouffer l'autre...
- Faire sentir ses dents : c'est très désagréable, surtout si on a un appareil dentaire.
- Tourner la langue trop vite dans la bouche de l'autre : le baiser « moulin à café », c'est bon pour le livre des records.

Est-ce qu'on peut embrasser sans la langue ?

Les Anglais ne s'embrassent presque que comme ça. On se fait des baisers sur la bouche, on se suce les lèvres, bref on peut inventer plein de trucs.

Est-ce qu'il faut être amoureux pour embrasser quelqu'un ?

C'est pas obligatoire. Mais c'est beaucoup plus chouette quand on est amoureux parce que les sensations vont jusqu'au cœur.

Combien de temps dure un baiser ?

C'est selon... Ça peut durer dix secondes, comme dix minutes. À vous de voir. Mais attention aux crampes !

Pendant un baiser, les salives des deux personnes qui s'embrassent se mélangent.

Est-ce qu'il y a des «trucs» pour bien embrasser ?

Le meilleur truc, c'est d'en avoir envie. Plus on a envie d'embrasser quelqu'un, mieux on le fait. Certains éléments permettent d'assurer un baiser correct, comme la douceur ou la tendresse.

Les bons trucs pour draguer

PASSER DEVANT ELLE LA TÊTE HAUTE, LES YEUX DANS L'ÉTERNITÉ...

L'EMMENER EN BOÎTE ET LA FAIRE RIRE ...

LUI OFFRIR UN VERRE DANS UN BAR BRANCHÉ...

LA RAMENER CHEZ ELLE...

LUI FAIRE LE COUP DE LA PANNE...

... NE PÔ OUBLIER LES PRÉSERVATIFS.

2
la puberté
ÇA Y EST ! JE VAIS POUVOIR AVOIR UNE MEUF' !
COOL

la puberté, c'est quoi ?

La puberté, c'est la période où l'on passe de l'état d'enfant à celui d'adulte. Ça provoque pas mal de changements dans le corps et dans la tête, et c'est pas l'âge le plus facile de la vie. Mais on a tous vécu ça.
Et puis, la puberté a aussi ses avantages.

La puberté, c'est à quel âge ?

Autour de 12 ans. Certaines personnes entrent dans la puberté à 10 ans, d'autres à 16 ans, ça dépend des gens. Pour les filles c'est en général plus tôt que pour les garçons.

Comment on sait qu'on est dans la puberté ?

Parce qu'il se passe des tas de changements dans le corps et dans la tête.

Qu'est-ce qui provoque les changements ?

Ce sont les hormones. Dans le corps on a des glandes (par exemple les amygdales, les testicules, les glandes mammaires qui sont dans les seins ou les glandes sudoripares qui font transpirer).

Ces glandes fabriquent des substances qui s'appellent les hormones et les envoient dans le sang pour régler le programme du corps humain.
Chaque hormone a son rôle.

Il y a des enfants de 13 ans qui sont déjà plus grands que leurs parents.

Qu'est-ce qui se passe dans le corps ?

Les hormones voyagent dans le sang et vont dans plein de parties du corps pour leur demander de se transformer. Il y a des hormones qui ordonnent aux poils de pousser, d'autres qui disent aux seins de grossir, chacune a son rôle. Ce sont elles qui ordonnent à nos os de grandir. Les hormones de la puberté donnent beaucoup d'ordres et le corps va se mettre à changer considérablement.

Qu'est-ce qui se passe dans la tête ?

Quand on a le corps qui se transforme aussi visiblement qu'à la puberté, ça passe pas inaperçu ! Alors la tête se demande un peu ce qui se passe. C'est assez perturbant parce qu'on n'est plus tout à fait un enfant, mais on n'est pas encore non plus un adulte.

Pourquoi on dit que c'est l'âge bête ?

On dit «âge bête» ou «âge ingrat». Dans les deux cas, c'est pas très sympa à entendre. En fait, ce sont les adultes qui disent ça. Les adolescents se rendent bien compte qu'ils sont en train de changer pour devenir des grands. Alors ils se comportent comme s'ils avaient la même indépendance que leurs parents. Et parfois ils vont un peu trop loin (comme exiger de pouvoir sortir très tard la nuit sans dire où ils vont) et comme les parents ne sont pas d'accord avec ces exigences, ça provoque des engueulades. C'est pas drôle, mais ces engueulades ont un côté positif : elles permettent aussi de grandir dans sa tête.

On appelle « points noirs » certains boutons parce que leur pointe noircit au contact de l'air.

Pourquoi on a des boutons à la puberté ?

C'est encore un coup des hormones. Comme elles chamboulent plein de trucs dans le corps, elles font parfois un peu exagérer des choses naturelles du corps comme sécréter du gras pour hydrater la peau et éviter qu'elle se dessèche. Trop de gras sur la peau, ça bouche les pores et ça fait des boutons. On appelle ça l'acné.

Qu'est-ce qu'on peut faire pour ne pas avoir de boutons ?

Il existe des produits qu'on peut mettre sur la peau pour dessécher les boutons ou des médicaments pour régulariser leur apparition. Le médecin les donne suivant les besoins. Mais l'acné de la puberté est un phénomène normal. Il ne faut pas s'inquiéter si les soins ne marchent pas très bien. L'essentiel est de continuer à se laver pour garder une peau saine, la nature arrangera le reste.

Pourquoi on transpire plus que d'habitude ?

C'est comme pour les boutons. Tout ça s'arrangera. Pour la transpiration, c'est moins grave si on se lave tous les jours et qu'on change de vêtements. Et puis il existe plein de déodorants très efficaces pour les aisselles et les pieds.

Et le sexe dans tout ça ?

Le sexe ! C'est la grande question de la puberté ! La puberté est l'âge où on commence à avoir des désirs sexuels.
C'est aussi l'âge où le corps est prêt à avoir des bébés (les hormones organisent très bien tout ça).

C'est quoi, avoir du désir pour quelqu'un ?

C'est quand on a envie de faire l'amour avec cette personne.

Est-ce qu'un garçon peut avoir du désir pour un autre garçon ?

Parfois certains garçons désirent des garçons et en grandissant ça change et ils se mettent à préférer les filles. Et puis parfois, certains garçons préfèrent les filles et en grandissant ils préfèrent les garçons.

Est-ce que c'est normal ?

Tout le monde se pose ces questions et avec le temps on trouve la réponse : si on laisse parler son cœur, on finit toujours par découvrir si on est hétérosexuel (c'est un garçon qui préfère les filles) ou homosexuel (c'est un garçon qui préfère les garçons ou une fille qui préfère les filles).

Est-ce qu'une fille peut avoir du désir pour une autre fille ?

Pour les filles, c'est comme pour les garçons.

la puberté des garçons

À la puberté, les garçons changent dans leur corps. Ils ont les poils qui poussent, la voix qui mue, des boutons plein la figure, bref, ils se transforment tranquillement en hommes.

Où poussent les poils ?

Les garçons commencent par avoir un petit duvet sous le nez qui va devenir une moustache puis une barbe, et quelques poils autour du zizi. Au total, ils ont des poils sous les bras, autour du zizi, sur la figure et sur la poitrine. Mais certains en ont plus que d'autres (sur le dos, les épaules…).

Où poussent les boutons ?

Sur la figure et parfois dans le dos, mais ça s'en va plus tard…

Pourquoi on peut plus chanter à l'école ?

La voix des garçons change à la puberté pour devenir grave comme celle des grands. On appelle ça "muer". Au début, la voix a du mal à devenir grave parce qu'elle est entre la voix du petit garçon et la voix d'homme. Les garçons qui muent ont du mal à chanter parce que leur voix passe des sons aigus aux sons graves comme un yo-yo. Mais ça ne dure pas trop longtemps.

Est-ce que le sexe change aussi ?

À la puberté, le zizi grandit et grossit, et les testicules commencent à fabriquer des spermatozoïdes.

C'est comment, un spermatozoïde ?

C'est très très petit. On ne peut pas le voir à l'œil nu. Si on regarde un spermatozoïde au microscope, on peut voir qu'il a une tête ronde (mais sans yeux ni bouche, évidemment) et une longue queue qui remue pour avancer. En fait, ça ressemble à un têtard.

Où sont fabriqués les spermatozoïdes ?

Dans les testicules. Ce sont les deux glandes en forme d'œuf à l'intérieur d'un petit sac qu'on appelle "les bourses" et qui se trouvent sous le zizi.

Est-ce que les testicules fabriquent beaucoup de spermatozoïdes ?

Des milliers par jour ! Ils ne vivent pas très longtemps, alors le corps en fabrique en permanence.

À quoi servent les spermatozoïdes ?

À faire des bébés. Pour que ça marche, il faut que le spermatozoïde rencontre un ovule (c'est l'œuf que fabriquent les filles). La puberté, c'est donc l'âge où les garçons peuvent en principe faire des bébés puisqu'ils commencent à fabriquer des spermatozoïdes.

Pourquoi les garçons ne peuvent pas avoir de bébé dans le ventre ?

Parce qu'il faut que le bébé grandisse dans une poche qui s'appelle l'utérus et que c'est seulement les filles qui ont un utérus dans le ventre. Mais sans les spermatozoïdes des garçons, les filles ne pourraient pas faire de bébés !

Pourquoi les garçons n'ont pas les seins qui poussent ?

Chacun son corps ! Les filles ont des tas de choses que les garçons n'ont pas, mais les garçons aussi ont des choses que n'ont pas les filles ! La nature a donné aux filles un ventre pour fabriquer le bébé, alors elle leur a donné aussi des seins pour le nourrir quand il naît.

Est-ce qu'il y a toujours du lait dans les seins des filles ?

Non. Les seins fabriquent du lait seulement quand une femme attend un bébé et tant que le bébé tètera après sa naissance.

Est-ce que les garçons peuvent quand même nourrir les bébés ?

Pas avec leurs seins parce qu'ils ne fabriquent pas de lait. Mais les papas peuvent donner le biberon à leur bébé, c'est chouette aussi !

Est-ce que les garçons ont des règles ?

Non. Ce sont seulement les filles parce que les règles viennent de l'utérus et que les garçons n'ont pas d'utérus.

la puberté des filles

Les filles, comme les garçons, changent beaucoup à la puberté. Elles ont aussi des boutons et des poils qui poussent, mais en plus, elles ont les seins qui grossissent et des règles.

La puberté des filles, c'est à quel âge ?

Un peu plus tôt que chez les garçons. Autour de 12 ans. Mais c'est très variable selon les filles.

Où poussent les poils des filles ?

Autour du sexe et sous les bras. Mais les filles n'ont pas de moustache ni de barbe, et pas de poils sur la poitrine ou dans le dos.

Est-ce que les filles muent aussi ?

La voix des femmes est un peu différente de celle des petites filles parce qu'on change en grandissant, mais ce n'est pas une mue aussi forte que chez les garçons.

À quoi ça sert, les règles ?

C'est le signe que les filles peuvent avoir des bébés. Avant leurs règles, elles ne peuvent pas en avoir.

C'est quoi, l'utérus ?

C'est une poche dans le ventre qui est destinée à recevoir un œuf qui deviendra un bébé. Avant les règles, les filles ont déjà un utérus, mais il ne peut pas servir à avoir de bébé.

Comment ça marche, les règles ?

À la puberté, l'utérus commence à préparer un petit nid pour recevoir le bébé. L'intérieur de l'utérus se tapisse d'une muqueuse qui contient du sang pour devenir plus moelleux et attend qu'un œuf s'y dépose et grandisse pendant 9 mois. Si au bout de trois semaines environ aucun œuf ne s'est installé dans l'utérus, la muqueuse qui le tapissait ne sert plus à rien alors le corps l'évacue. Cette muqueuse devient plus liquide, comme du sang, pour pouvoir sortir du corps en coulant par le vagin. Les règles, c'est le sang qui s'écoule de l'utérus. Le sang coule pendant environ 5 jours et quand tout le sang est parti, l'utérus recommence à se tapisser de muqueuse et ainsi de suite. Les filles ont leurs règles tous les mois.

C'est quoi, un ovule ?

C'est un minuscule œuf pondu par les ovaires. Tous les mois, un ovule (ou plusieurs) est pondu et tombe dans le petit canal appelé la trompe qui conduit de l'ovaire à l'utérus. Ça s'appelle l'ovulation. Les filles ont une ovulation environ deux jours par mois. Si l'ovule n'est pas fécondé par un spermatozoïde, aucun bébé n'est fabriqué et la fille a ses règles.

Comment une fille voit qu'elle a ses règles ?

Un jour, elle trouve un peu de sang au fond de sa petite culotte. C'est normal : ça veut dire qu'elle a ses règles pour la première fois.

Est-ce que les règles font mal ?

Parfois, avant et pendant leurs règles, les filles peuvent avoir un peu mal au ventre. C'est à cause des contractions de l'utérus pour faire partir le sang. C'est plus ou moins douloureux selon les filles. Les filles sont sensibles pendant leurs règles et pleurent plus facilement.
Certaines filles ont aussi un peu mal à la tête, mais ça passe.

Qu'est-ce qu'il faut faire ?

La première chose à faire est d'éviter de salir ses vêtements. Pour cela, les filles mettent des serviettes hygiéniques. Ce sont comme des petites couches en coton qu'elles collent au fond de la culotte pour absorber le sang qui coule.
Elles peuvent aussi mettre des tampons si elles veulent aller à la piscine.

C'est quoi, un tampon ?

C'est comme un petit tube en coton arrondi au bout avec une petite ficelle à l'autre bout.

Où se met un tampon ?

Il se met à l'intérieur du vagin pour absorber le sang avant qu'il tombe au fond de la culotte.

Comment on met un tampon ?

On introduit le tampon dans le vagin en ne laissant dépasser que la petite ficelle. La première fois qu'on met un tampon on est toujours un peu inquiète, alors il faut se détendre et l'introduire très doucement. Certains tampons ont un système d'applicateur qui permet de les mettre plus facilement.

Comment on enlève un tampon ?

Il suffit d'attraper la petite ficelle qui dépasse et tirer doucement dessus pour faire sortir le tampon du vagin.
On doit changer de tampon régulièrement parce qu'il ne faut pas le garder plus d'une demi-journée dans le corps. Parfois il faut en changer plus souvent parce que le tampon est rempli de sang et qu'il n'est plus efficace.

À quel âge s'arrêtent les règles ?

Quand les femmes atteignent à peu près l'âge de 50 ans, leur corps décide de lui-même de ne plus pouvoir faire d'enfant et produit des hormones pour que les règles s'arrêtent. On appelle ça la ménopause.

la ouate

Les filles qui entrent dans la puberté un peu plus tard
que les autres se demandent souvent pourquoi leurs seins n'ont pas
encore poussé alors que certaines de leurs copines ont déjà
des poitrines de femmes.
Faute de vrais seins, elles trouvent des trucs pour s'en fabriquer...

les melons

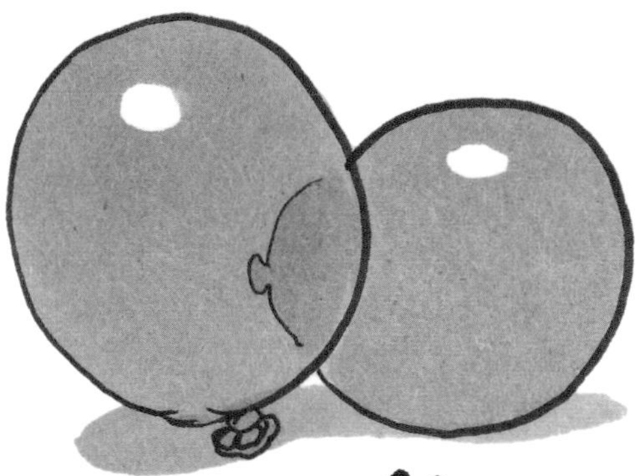

les ballons

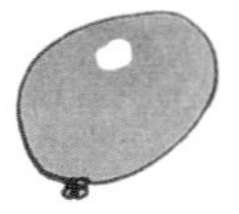

À l'intérieur des seins, il y a des glandes mais pas de muscles. Les seins tiennent uniquement grâce à la peau qui les enveloppe !

Pourquoi il ne faut pas pincer les seins des filles ?

Quand ils se mettent à grossir, les seins des filles deviennent très sensibles. Il ne faut ni les pincer ni leur donner des coups (même pas très fort), c'est un peu comme quand un garçon reçoit un coup dans les testicules : ça fait très mal !

Pourquoi les filles ont les seins qui grossissent à la puberté ?

À partir du jour où elles ont leurs premières règles, les filles peuvent avoir des bébés. Les seins se mettent aussi à grossir (les seins grossissent aussi un peu plus avant les règles). Plus tard, quand les femmes attendent un bébé, leurs seins se remplissent de lait pour pouvoir nourrir le bébé le jour où il vient au monde.
Les seins doivent pouvoir contenir ce lait, c'est pour ça qu'ils sont plus gros.

3
faire l'amour

faire l'amour, c'est quoi ?

Quand on commence à avoir des désirs sexuels pour une personne, on a envie de la toucher, de l'embrasser, de la caresser. Si on aime une personne, en grandissant, les mots et les caresses ne suffisent plus pour lui exprimer nos sentiments, alors on a envie de faire l'amour avec elle.

À quel âge on peut faire l'amour ?

On commence à y penser assez jeune (vers 10 ans) mais on n'en a pas encore envie, et le corps n'est pas encore prêt pour le faire. Après la puberté, le désir sexuel se précise en même temps que les changements du corps. Certaines personnes font l'amour pour la première fois très tôt, d'autres attendent plus tard. Bref, il n'y a pas d'âge pour faire l'amour pour la première fois.

Est-ce qu'on est obligé de faire l'amour ?

Non ! Heureusement ! Il faut faire l'amour seulement si l'on en a envie. Des tas de gens ont envie de faire l'amour pour la première fois à 18 ans ou à 20 ans et c'est normal, chacun son rythme !

Jusqu'à quel âge on peut faire l'amour ?

Tant que le corps est d'accord. Certaines personnes font l'amour ensemble jusqu'à la fin de leur vie, d'autres non.

C'est quoi, faire l'amour ?

Embrasser quelqu'un sur la bouche, ça n'est pas faire l'amour. Faire l'amour, c'est avoir un rapport sexuel avec quelqu'un.

Pourquoi on fait l'amour ?

Quand on aime quelqu'un, on a envie de le lui dire. En grandissant, on a aussi envie de lui faire des câlins et un jour, quand les mots et les baisers ne suffisent plus, on a envie de faire l'amour pour lui dire encore plus fort qu'on le désire.

Comment on sait qu'on a envie de faire l'amour ?

C'est le corps qui décide. Le jour où l'on est prêt à faire l'amour, on le sent dans son corps. Quand la personne qu'on aime nous touche sur le corps et que ça fait comme une chaleur très agréable, c'est qu'on commence à avoir du désir sexuel. Mais on peut avoir du désir sexuel dans son corps et ne pas vouloir faire l'amour dans sa tête parce qu'on préfère attendre.

C'est quoi, être puceau ou pucelle ?

Un puceau, c'est un garçon qui n'a encore jamais fait l'amour. Pour une fille, on dit pucelle. On peut dire aussi d'une personne qui n'a encore jamais fait l'amour qu'elle est vierge. La première fois qu'une personne fait l'amour, on dit qu'elle « perd son pucelage » ou qu'elle est dépucelée.

Comment c'est, le désir sexuel d'un garçon ?

Quand un garçon ressent un désir sexuel, il a le cœur qui s'accélère alors il respire un peu plus fort. Son sexe se remplit de sang et devient beaucoup plus dur, alors il se dresse : on appelle ça avoir une érection.

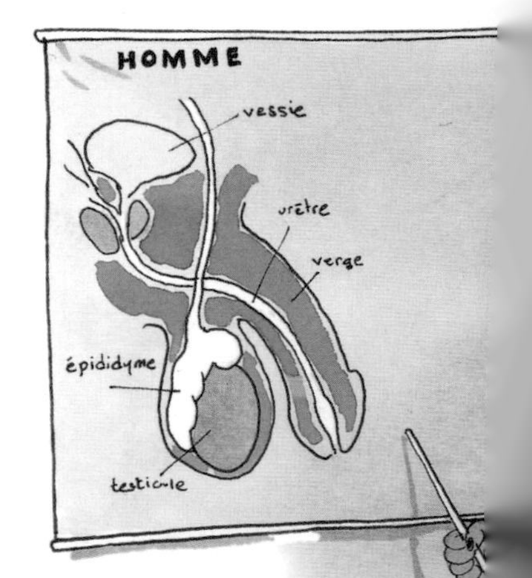

Est-ce que les garçons ont des érections avant la puberté ?

Oui. Ils ont des érections pendant la nuit ou le matin et quand ils ressentent du désir sexuel.

Comment c'est, le désir sexuel d'une fille ?

Quand une fille ressent du désir sexuel, son cœur s'accélère comme celui des garçons, alors elle respire plus vite et plus fort. Elle sent comme une chaleur agréable dans son ventre et dans son sexe qui s'appelle aussi la vulve. Puis un liquide transparent coule en petite quantité de son vagin.

C'est quoi, la masturbation ?

Quand un garçon a une érection, il a parfois envie de se toucher le sexe et de le caresser. C'est le début du désir sexuel.

Est-ce que les filles se masturbent aussi ?

Si elles ressentent du désir, les filles ont aussi envie de se caresser le sexe. Mais ça ne veut pas dire qu'elles sont prêtes à faire l'amour.

Comment c'est, le sexe d'un garçon ?

C'est un tuyau de chair qui contient beaucoup de canaux sanguins. Le bout du sexe s'appelle le gland et c'est très sensible. Le canal à l'intérieur s'appelle l'urètre. C'est par là que passent le pipi et aussi les spermatozoïdes.

C'est quoi, les testicules ?

Sous le zizi des garçons se trouvent les bourses qui contiennent les testicules en forme d'œuf où sont fabriqués les spermatozoïdes.

Comment c'est, le sexe d'une fille ?

C'est une fente dont les bords s'appellent les lèvres. En haut de la fente se trouve le clitoris qui est comme un minuscule zizi de garçon avec un urètre en dessous pour faire pipi. Et encore en dessous se trouve un trou appelé le vagin et qui conduit dans le ventre à l'utérus. C'est par là que les filles font l'amour et que les bébés sortent à la naissance.

Pourquoi les filles n'ont pas de testicules ?

Parce qu'elles ne fabriquent pas de spermatozoïdes. Les filles ont des ovaires en forme d'œuf à l'intérieur du ventre qui fabriquent des ovules. Les ovules doivent rencontrer les spermatozoïdes pour faire des bébés.

Comment on fait l'amour ?

Faire l'amour, c'est la chose la plus naturelle du monde. On commence par être amoureux d'une personne, alors on a envie de lui tenir la main puis de l'embrasser. Plus tard, on commence à avoir du désir sexuel pour une personne alors on a envie de la caresser sur le corps et d'être caressé par elle. Et puis un jour on a envie de faire l'amour avec elle.

Faire l'amour, c'est quoi ?

Quand on désire une personne, on a envie de se rapprocher d'elle de plus en plus. On commence par des caresses, puis on se serre l'un contre l'autre, et on a envie d'être encore plus proche. Pour se rapprocher encore, les amoureux vont joindre leurs corps par le sexe. C'est le sexe du garçon qui va pénétrer dans le sexe de la fille.

Qu'est-ce qui se passe ?

D'abord, les amoureux se caressent et s'embrassent. Quand ils sentent qu'ils se désirent beaucoup, ils se déshabillent pour se caresser tout nus. Ils continuent à s'embrasser et se caresser jusqu'à ce qu'ils décident de faire l'amour. Le garçon qui a envie de faire l'amour a une érection. Son pénis devient assez dur pour rentrer dans le vagin de la fille. La fille qui a du désir sent un peu de liquide transparent

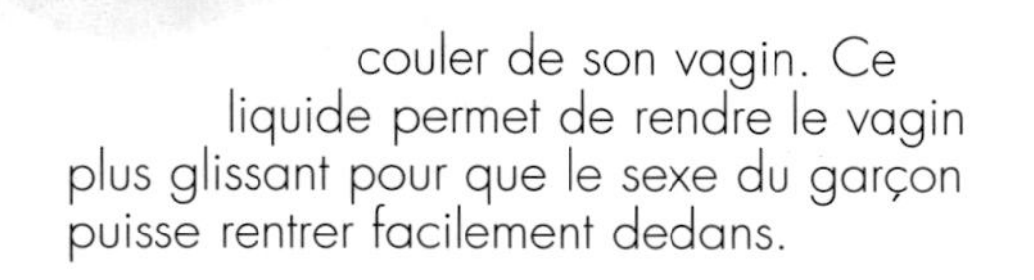

couler de son vagin. Ce liquide permet de rendre le vagin plus glissant pour que le sexe du garçon puisse rentrer facilement dedans.

Comment on fait ?

Le garçon fait entrer son sexe dans le vagin de la fille. Après, les amoureux commencent à bouger pour que le sexe du garçon fasse un va-et-vient dans celui de la fille.

Combien de temps ça dure ?

Cela peut durer 3 minutes ou une heure ! Tant qu'ils ressentent du plaisir, le garçon et la fille continuent de bouger. Puis le plaisir augmente jusqu'à l'orgasme qui est le plaisir très très fort que les amoureux sentent à la fin. Les premières fois, faire l'amour ne dure pas très longtemps.

Qu'est-ce que ça fait ?

Le frottement du sexe du garçon dans celui de la fille produit une chaleur très douce et très agréable qui s'appelle le plaisir sexuel.

Dans quelle position on se met ?

Le garçon s'allonge sur le corps de la fille. Elle ouvre les jambes pour que le sexe du garçon puisse entrer dans le sien. Mais on peut aussi faire l'amour dans plein d'autres positions que celle-ci.

Est-ce que ça fait mal la première fois ?

Les filles ont une petite membrane de peau à l'entrée du vagin qu'on appelle l'hymen. Quand elles n'ont jamais fait l'amour, cette petite barrière est encore fermée. La première fois qu'elles font l'amour, le sexe du garçon va ouvrir cette membrane en entrant dans le sexe de la fille. Pour certaines filles, c'est un peu douloureux et elles perdent un peu de sang, mais la douleur est vite remplacée par le plaisir.

Pourquoi on crie et on souffle fort ?

Quand on ressent du plaisir, le cœur bat plus vite, alors on est un peu essoufflé. À un moment, c'est tellement agréable que les amoureux poussent des petits cris pour exprimer leur bonheur.

C'est quoi, l'orgasme ?

Pendant qu'il font l'amour ou qu'ils se masturbent, les garçons et les filles sentent monter le plaisir. Quand le plaisir est à son maximum, ils ont un orgasme.

Comment c'est, l'orgasme d'un garçon ?

Quand le garçon a un orgasme, du sperme est expulsé assez fort de son zizi : c'est une éjaculation.

Comment c'est, l'orgasme d'une fille ?

C'est une grande chaleur très agréable qui va parcourir tout le corps.

Le Kama-sutra est un livre qui explique toutes les positions qui existent pour faire l'amour !

Qu'est-ce qu'il ne faut pas faire ?

D'abord, il ne faut pas faire l'amour si l'on n'en a pas envie. On a le droit de changer d'avis, même au dernier moment, même si on est déjà tout nu.
Et si on le fait, le plus important est de prendre son temps pour laisser monter le désir sexuel. Parfois, le garçon veut tellement faire l'amour avec la fille, qu'il pénètre un peu trop vite ou trop fort dans le sexe de son amoureuse. C'est très désagréable pour les filles. Plus on est doux et tendre, plus c'est agréable de faire l'amour.

Est-ce qu'on est obligé de se mettre tout nu ?

Pas forcément ! Mais c'est difficile de faire l'amour en gardant tous ses vêtements. Quand on a envie de faire l'amour avec la personne qu'on aime, on a du plaisir à la voir nue et à se montrer nu aussi. La première fois, on a un peu peur de se montrer nu, mais on peut faire l'amour dans le noir ou avec de la lumière, comme on préfère !

Pourquoi on a peur de se montrer nu ?

Tout le monde est gêné de se mettre nu devant quelqu'un. Ça s'appelle la pudeur. Et c'est plutôt bien d'avoir un peu de pudeur, sinon les gens se promèneraient tous à poil dans les rues ! Et puis, comme ça, on garde son intimité pour la personne qu'on aime, comme un cadeau.

BON, TITEUF... TU LE BAISSES, TON PANTALON ?
... HEU... ON PEUT ÉTEINDRE LA LUMIÈRE ?

Pourquoi les filles ont parfois peur de ne pas avoir un sexe fait comme celui des autres filles ?

Contrairement aux garçons qui voient leur sexe et qui peuvent le comparer avec le sexe des autres garçons, les filles ont du mal à voir comment leur sexe à elles est fait parce qu'il est à l'intérieur de leur corps. Alors elles se demandent parfois si leur sexe est comme celui des autres filles. Il est tout à fait normal de se poser cette question, et si on veut être rassurée, il suffit de demander à un médecin.

Pourquoi on a peur de parler d'amour ?

C'est aussi de la pudeur ! L'amour, c'est très intime. On est toujours un peu gêné de parler de sexe et de sentiment amoureux. Dire qu'on est amoureux, c'est un peu comme dire un secret très personnel. C'est normal d'avoir peur d'en parler.

À qui on peut en parler ?

On peut poser toutes les questions qu'on veut sur l'amour et le sexe à quelqu'un en qui on a confiance : nos parents, notre grand frère ou notre grande sœur, un ami ou une autre personne comme le médecin.

Est-ce qu'on est obligé de tout dire ?

Si on a des questions, il faut les poser, sinon on n'aura jamais la réponse. Mais tout le monde a le droit d'avoir son intimité et de garder pour soi des petits secrets d'amour.

faire l'amour

Comment ça marche ?

mets ton doigt ici.

fais passer ton doigt dans le trou depuis l'autre côté pour faire le zizi du monsieur ...
je t'aime
est-ce que tu veux coucher avec moi?*
il a le cœur qui bat fort
elle aussi
(* on peut aussi dire 'coucher ensemble')
aah oui
fait bon

ils s'embrassent et ils enlèvent leurs habits en même temps
smak
(vachement difficile)

... en tournant la page, fais-le rentrer dans le trou de la dame.

encore

MOI J'SERAI MIEUX DESSINÉ !!

ZEP

4
faire un bébé
copymax

faire un bébé, c'est quoi ?

Quand ils s'aiment énormément, au bout de quelque temps, les adultes ont envie de faire un bébé ensemble. Un bébé, ça doit être le résultat d'une histoire d'amour.

À quel âge on peut faire des bébés ?

Dès la puberté on peut avoir des bébés. Mais faire un bébé, c'est un engagement pour la vie et quand on est très jeune, on a beaucoup de choses à accomplir avant d'être assez mûr pour pouvoir élever un enfant.

Qui fait les bébés ?

Un homme et une femme peuvent avoir un bébé en faisant l'amour.

Comment on fait un bébé ?

Le bébé est fait grâce à la rencontre d'un spermatozoïde avec un ovule.

Comment le spermatozoïde rencontre l'ovule ?

Quand un homme et une femme font l'amour, le sexe de l'homme entre dans le vagin de la femme. Au moment où l'homme éjacule, une petite quantité de sperme contenant des spermatozoïdes est expulsée dans le vagin de la femme. S'il y a un ovule dans l'utérus de la femme, il peut être fécondé par un spermatozoïde et former un œuf qui grandira pour devenir un bébé.

Pourquoi il y a des gens qui ne peuvent pas avoir de bébé ?

Parfois, l'homme ou la femme est stérile. Ça veut dire qu'ils ne peuvent pas avoir d'enfant. Le corps est une mécanique très fragile et il arrive que quelque chose ne marche pas très bien parce qu'on a été malade ou pour des raisons médicales plus compliquées.

Comment ils font pour avoir un bébé quand même ?

Aujourd'hui, il y a des solutions pour que les gens qui s'aiment puissent avoir un bébé s'ils sont stériles. La médecine permet de fabriquer le petit œuf sans faire l'amour, en prenant un ovule de la maman et un spermatozoïde du papa. Ce petit œuf sera placé dans le ventre de la maman et y deviendra un bébé comme tous les autres ! Ça s'appelle la fécondation "in vitro".

Et si ça ne marche toujours pas ?

Il arrive qu'on ne puisse pas prendre d'ovule à la maman ou de spermatozoïde au papa pour faire le petit œuf. Dans ce cas, les parents peuvent adopter un enfant qui n'a ni papa ni maman. Les gens qui adoptent un enfant l'élèvent comme les autres enfants.

Est-ce que les enfants adoptés ont été faits comme les autres ?

Bien sûr ! Un enfant adopté a aussi été fait par un homme et une femme qui ont fait l'amour, simplement il n'a plus les parents qui l'ont fabriqué. Mais le papa et la maman qui l'ont adopté deviennent ses "vrais" parents parce que l'adoption, c'est aussi une histoire d'amour.

dans le ventre de la maman

Le bébé qui est dans le ventre de la maman a une vie bien remplie.
Et parfois il n'est pas tout seul à nager dans l'utérus...

Comment le bébé vit dans l'utérus ?

Le bébé flotte à l'intérieur d'une poche remplie d'un liquide qui ressemble à de l'eau et qu'on appelle le liquide amniotique. Pendant les neuf mois où il est dans l'utérus, puisqu'il n'y a pas d'air, le bébé ne respire pas avec ses poumons. Il reçoit de l'oxygène que respire la maman et qu'elle lui envoie par le cordon ombilical.

C'est quoi, le cordon ombilical ?

C'est le long tuyau qui part du ventre du bébé et qui le relie à sa maman.

Comment le bébé se nourrit ?

Par le cordon ombilical, il reçoit les éléments et les vitamines dont il a besoin pour grandir. C'est pour ça que les mamans ont souvent faim pendant la grossesse : elles doivent manger pour deux !

Est-ce qu'il peut y avoir plusieurs bébés à la fois dans le ventre de la maman ?

Oui. Deux, si ce sont des jumeaux, et parfois plus !

Pourquoi il y a des jumeaux ?

Parfois, l'œuf qui est fécondé se divise et donne deux petits œufs exactement pareils. Ils vont se développer et donner deux bébés qui se ressemblent trait pour trait : on les appelle des jumeaux.

Et parfois, deux ovules ont été pondus par les ovaires et les deux ont été fécondés. Il y a donc deux œufs qui se développent pour devenir des bébés ! Comme ce sont deux œufs différents, les bébés ne se ressemblent pas : on les appelle des faux jumeaux.

la course à l'ovule

Les spermatozoïdes ont un long voyage à faire pour atteindre l'ovule. Tous groupés dans les testicules, ils baignent dans le liquide appelé sperme.
Lors de l'éjaculation, du sperme contenant 200 millions de spermatozoïdes remonte par le canal appelé urètre et sort du sexe de l'homme pour arriver dans le vagin de la femme.
Il leur reste encore à remonter le vagin puis l'utérus pour atteindre les trompes. Leur chemin est dur et long, et seule une petite quantité de spermatozoïdes parvient dans la trompe où se trouve l'ovule. Les spermatozoïdes qui ont réussi leur voyage sont évidemment les plus énergiques du groupe de départ, mais finalement c'est l'ovule qui choisira l'unique vainqueur qui pourra le féconder.

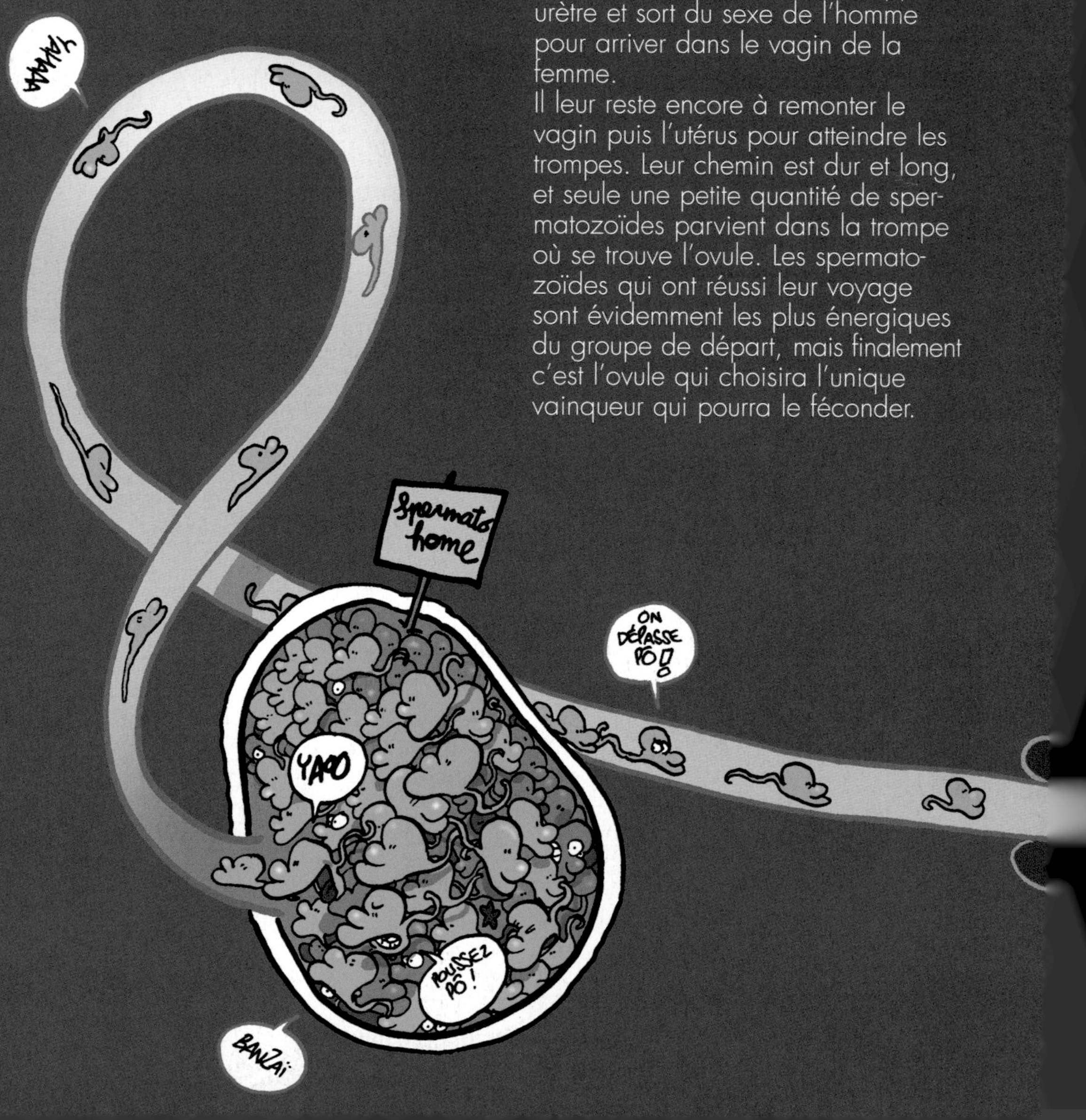

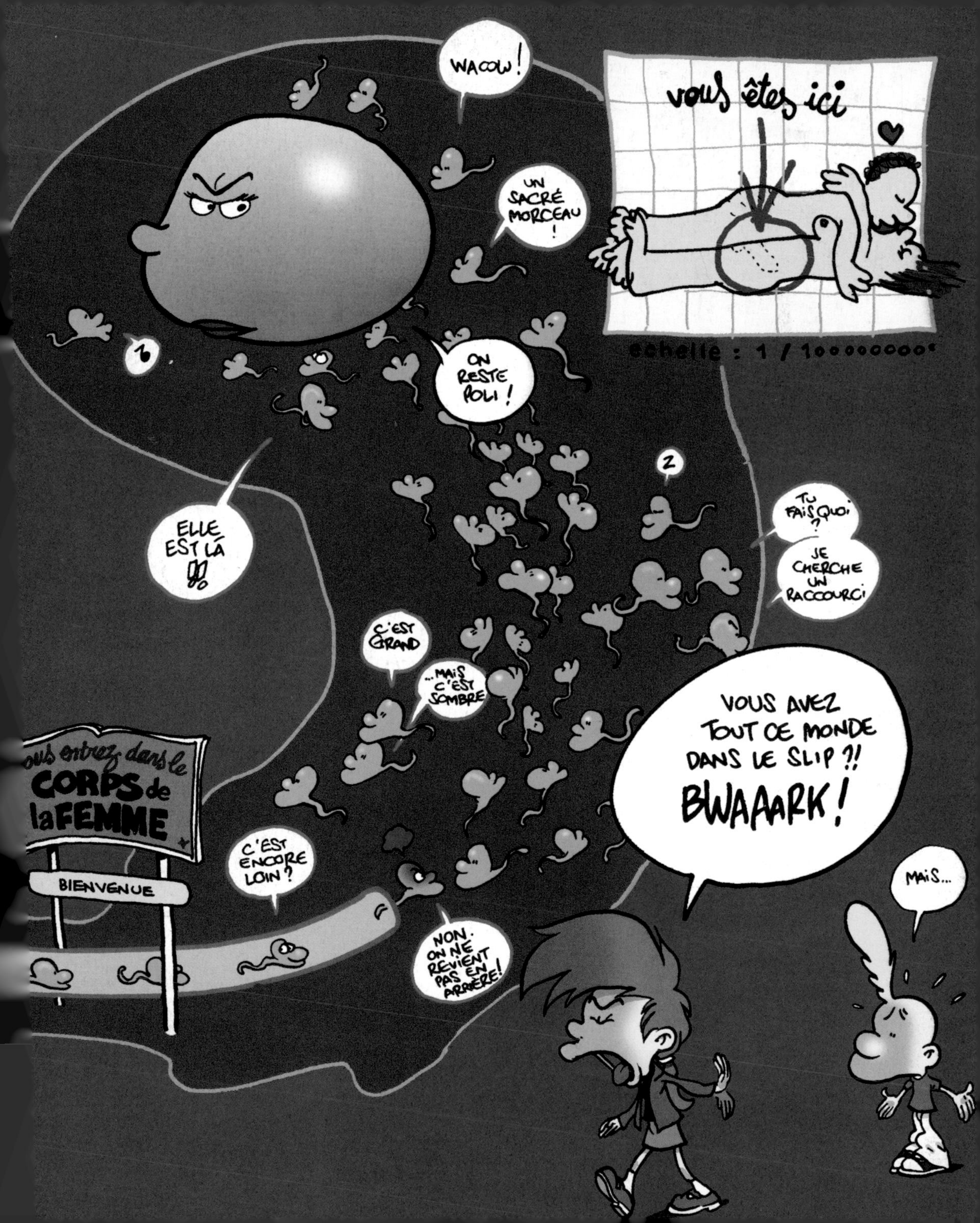

WAOOW !
vous êtes ici
échelle : 1 / 100000000e
UN SACRÉ MORCEAU !
ON RESTE POLI !
ELLE EST LÀ !!
Z
TU FAIS QUOI ?
JE CHERCHE UN RACCOURCI
C'EST GRAND
...MAIS C'EST SOMBRE
vous entrez dans le CORPS de la FEMME
BIENVENUE
C'EST ENCORE LOIN ?
NON. ON NE REVIENT PAS EN ARRIÈRE !
VOUS AVEZ TOUT CE MONDE DANS LE SLIP ?!
BWAAARK !
MAIS...

APRÈS L'ÉJACULATION, ENVIRON 500 MILLIONS DE SPERMATOZOÏDES REMONTENT DU VAGIN DANS L'UTÉRUS. SEULEMENT UNE CENTAINE ARRIVERONT JUSQU'AUX TROMPES.

DANS UNE DES TROMPES, ILS RETROUVENT L'OVULE QUI A ÉTÉ PONDU PAR L'OVAIRE...

TCHÔ!

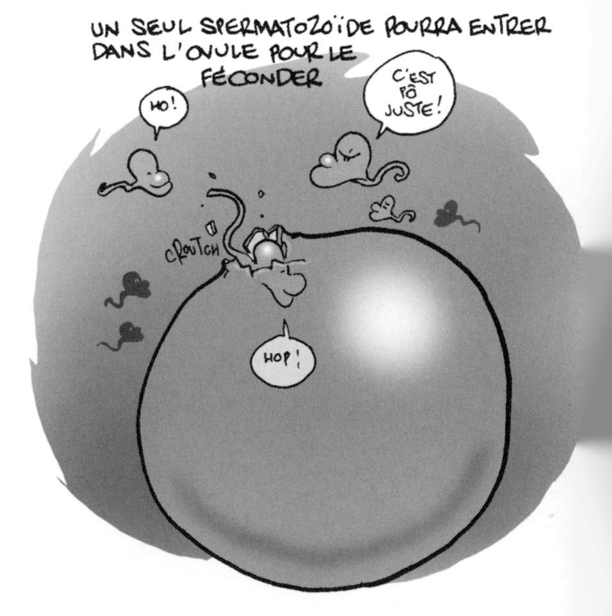

L'OVULE FÉCONDÉ EST MAINTENANT UN OEUF... IL CONTIENT DÉJÀ TOUTES LES CARACTÉRISTIQUES DU FUTUR BÉBÉ.

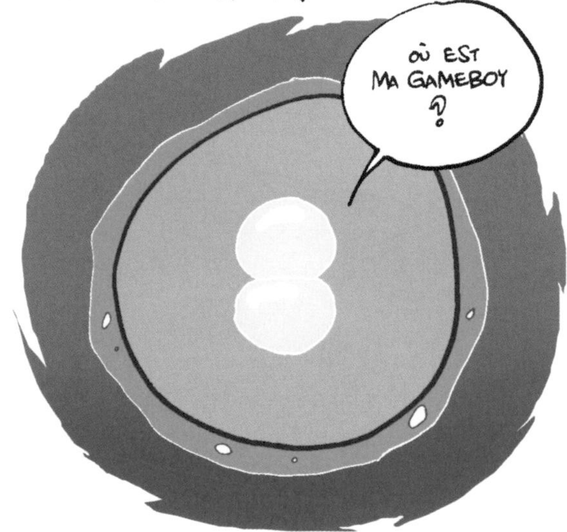

POUR DEVENIR UN BÉBÉ, L'OEUF SE DIVISE EN 2, PUIS EN 4 ET AINSI DE SUITE... TOUT EN SE DIVISANT, IL VA ROULER LENTEMENT POUR DESCENDRE DANS L'UTÉRUS, POUSSÉ PAR LES POILS QUI RECOUVRENT LES PAROIS.

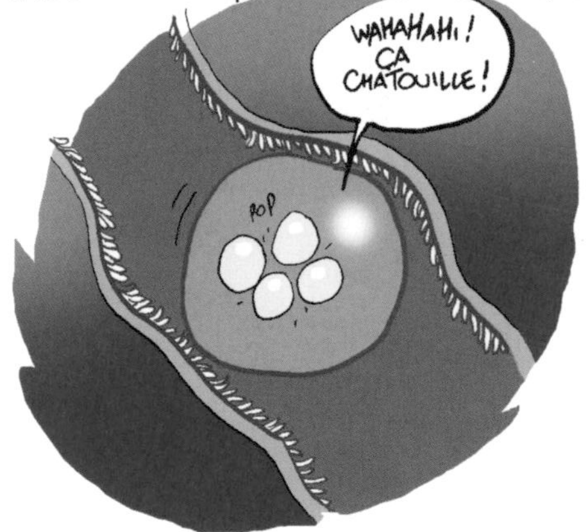

À 8 JOURS, L'OEUF EST COLLÉ À LA PAROI DE L'UTÉRUS ET SON PETIT NID S'EST FORMÉ AUTOUR DE LUI...

L'OEUF DEVIENT ENSUITE UN EMBRYON. À 3 SEMAINES, CET EMBRYON MESURE 2 MILLIMÈTRES DE LONG.

À 4 SEMAINES, L'EMBRYON MESURE PLUS D'UN CENTIMÈTRE ET SE MET À FABRIQUER UN DÉBUT DE SQUELETTE ET DE CERVEAU.

À 8 SEMAINES, L'EMBRYON MESURE 4 CENTIMÈTRES ET A TOUS SES MEMBRES ET SES ORGANES... IL DEVIENT UN FOETUS.

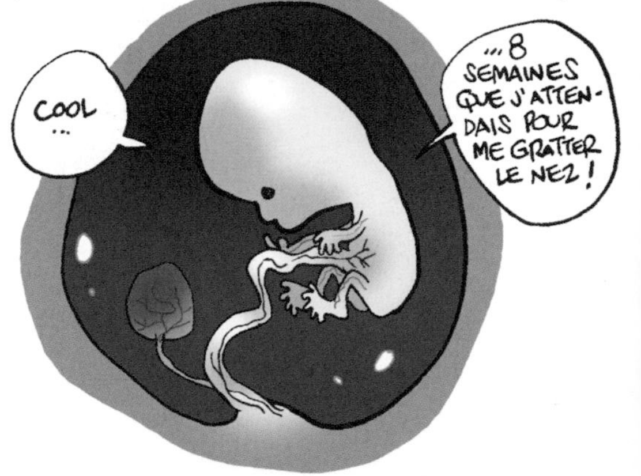

À 3 MOIS, LE BÉBÉ A DÉJÀ DES POILS QUI LUI POUSSENT SUR TOUT LE CORPS...

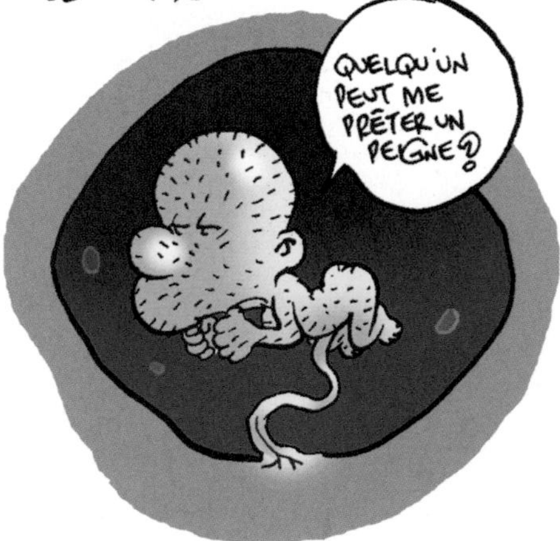

À 4 MOIS, ON VOIT BIEN LA DIFFÉRENCE ENTRE UN SEXE DE GARÇON ET UN SEXE DE FILLE.

À PARTIR DU QUATRIÈME MOIS, LA MAMAN PEUT SENTIR LE BÉBÉ BOUGER DANS SON VENTRE...

À 7 MOIS, LE BÉBÉ SE RETOURNE DANS L'UTÉRUS POUR SE METTRE LA TÊTE EN BAS ET VA GARDER CETTE POSITION JUSQU'À LA NAISSANCE... IL OCCUPE DÉJÀ TOUTE LA PLACE DANS L'UTÉRUS.

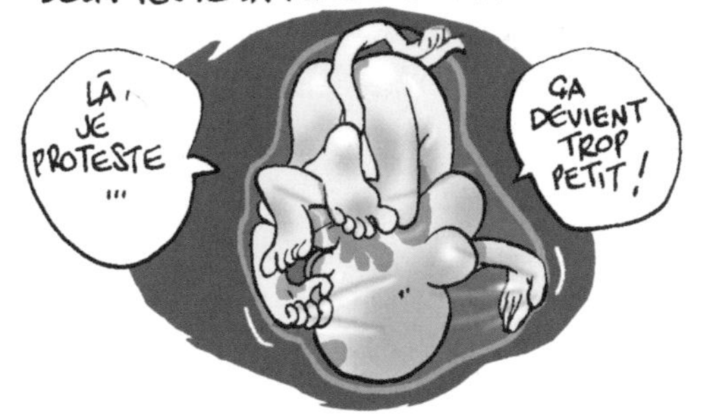

À 9 MOIS, C'EST LA NAISSANCE : LE BÉBÉ SORT DE L'UTÉRUS PAR LE VAGIN.

la naissance

Quand les neuf mois de grossesse sont écoulés, le bébé demande à venir au monde. Il y a plein de signes qui montrent qu'il est prêt à naître.

Comment on sait que le bébé va naître ?

Au bout de 9 mois, et parfois plus tôt, la maman va mettre au monde son bébé. Quand le moment est venu, la maman a des contractions et perd les eaux. Ce sont les signes qui montrent qu'elle va accoucher.

C'est quoi, les contractions ?

C'est le ventre qui se crispe pour aider le bébé à sortir.

C'est quoi, perdre les eaux ?

C'est lorsque la poche qui contient le liquide dans lequel nage le bébé se déchire pour le laisser sortir. Le liquide s'échappe alors par le vagin.

Comment naît le bébé ?

La maman va pousser (un peu comme on pousse sur les toilettes...) pour aider le bébé à sortir.

Par où sort le bébé ?

Par le vagin de la maman.

Comment sort le bébé ?

Au bout de quelques heures, le bébé descend par le vagin qui s'est dilaté pour lui donner la place de passer. À l'entrée du vagin apparaît alors sa tête. En général le bébé sort d'abord la tête, mais il arrive que certains bébés présentent d'abord les pieds. On appelle ça "naître par le siège".

Qu'est-ce qui se passe quand le bébé est sorti ?

Quand il sort, le bébé est encore relié à sa maman par le cordon ombilical. Le médecin qui fait naître le bébé va couper ce cordon. Il restera une petite cicatrice que tout le monde a sur le ventre : le nombril !

Le plus gros bébé de France pesait 6,8 kg à la naissance !

Est-ce que ça fait mal d'accoucher ?

Les contractions et le bébé qui passe par le vagin, ça fait plus ou moins mal selon les femmes, mais on peut faire une piqûre à la maman pour qu'elle ne sente plus la douleur. Cette piqûre s'appelle la péridurale.

Est-ce qu'on est tous nés comme ça ?

Oui ! La médecine a fait des progrès pour aider les parents à concevoir l'œuf quand ils ne peuvent pas en fabriquer un en faisant l'amour, mais cet œuf est obligé de grandir dans un utérus de maman pour devenir un bébé.

Pourquoi on doit parfois opérer la maman ?

Parfois le bébé ne peut pas sortir parce qu'il est trop gros, ou on est obligé de le faire naître avant la fin de la grossesse et il n'est pas encore prêt à sortir de lui-même. Alors on ouvre le ventre de la maman pour aller chercher le bébé directement dans l'utérus. Cela s'appelle une "césarienne" et ça ne fait pas mal parce que le ventre de la maman est complètement endormi par une piqûre.

On pratiquait déjà la césarienne au temps des Romains ! Le mot vient d'ailleurs de Jules César, qui serait né de cette façon.

Comment est le bébé à la naissance ?

Un nouveau-né pèse environ 3 kg, parfois moins, parfois plus, il est tout fripé, ne voit presque rien, mais il entend les voix des personnes qui l'entourent.

C'est quoi, un pédiatre ?

C'est le médecin qui est spécialiste des bébés et des jeunes enfants.

C'est quoi, un code génétique ?

L'œuf qui deviendra un bébé a un code génétique. C'est le programme qui contient toutes les données que lui ont transmises ses parents et qui fait qu'on a, par exemple, les yeux bleus ou les cheveux bruns et plein d'autres choses.

Pourquoi il y a des bébés pas normaux ?

Parfois le code génétique du bébé est un peu différent des autres et le bébé se développera différemment aussi (comme les trisomiques).
Parfois le code génétique est comme celui des autres enfants mais le bébé a un handicap causé par une maladie.
Les parents et des éducateurs vont apprendre à ces bébés à vivre avec leur handicap.

Est-ce que les humains peuvent faire des bébés avec des animaux ?

Non. C'est impossible. Les humains et les animaux n'ont pas la même nature ni les mêmes codes génétiques. Ils ne peuvent donc pas se reproduire ensemble.

et les animaux, ils naissent comment ?

C'est pas facile d'être un bébé chez les animaux...
Certains bébés animaux (qu'on appelle les mammifères) naissent de la même manière que les humains, d'autres naissent dans un œuf que leur maman a pondu (ce sont les ovipares).

la maman baleine

La maman baleine est un mammifère. Elle fabrique 600 litres de lait par jour pour nourrir son baleineau !

la poule

La poule est ovipare. Pour naître, le poussin est obligé de casser tout seul la coquille de son œuf !

les escargots

Les escargots sont ovipares. Ils sont aussi hermaphrodites. Cela veut dire qu'un escargot est à la fois fille et garçon. Du coup, l'escargot peut s'accoupler avec n'importe quel autre escargot pour faire des petits, sans se soucier si 'est un âle ou e elle !

chez les hippocampes,

La maman pond les œufs, mais c'est le papa qui les porte dans une poche sur son ventre jusqu'à ce qu'ils éclosent !

l'éléphant

L'éléphant est un mammifère. L'éléphanteau reste pendant près de deux ans dans le ventre de sa maman avant de naître ! (plus du double de temps qu'un bébé humain !)

les souris

Les souris qui sont des mammifères peuvent avoir 15 bébés d'un coup !

le kangourou

Le kangourou est un mammifère. À la naissance, le bébé est trop fragile pour sortir à l'air pur. Alors il reste longtemps dans une poche douillette que la maman a sur le ventre et il tète le lait pour terminer de grandir.

la reine des abeilles

La reine des abeilles vit 5 ans. Elle pond environ 1 million et demi d'œufs dans sa vie !

5
se protéger

la contraception, c'est quoi ?

Quand deux personnes désirent faire l'amour ensemble, ils ne veulent pas forcément faire un bébé ! Pour faire l'amour sans avoir de bébé, il faut apprendre à se protéger.

La contraception, c'est quoi ?

Ce sont les différents moyens pour éviter d'avoir un bébé quand on fait l'amour.

Comment ça marche, la contraception ?

Il existe plusieurs moyens de se protéger. Les filles peuvent prendre la pilule ou les garçons peuvent mettre un préservatif.

C'est quoi, la pilule ?

La pilule existe pour l'instant seulement pour les filles. C'est une petite pastille qui contient des hormones. Les filles prennent une pilule tous les jours pendant trois semaines et arrêtent pendant une semaine pour avoir leurs règles.

Comment ça marche, la pilule ?

Les hormones qui sont dans la pilule vont donner l'ordre aux ovaires de ne pas pondre d'ovule. Pour faire un bébé, il faut un ovule et un spermatozoïde, donc s'il n'y a pas d'ovule il ne peut pas y avoir de bébé.

Aujourd'hui on trouve des distributeurs de préservatifs partout. On n'a même plus besoin d'entrer dans une pharmacie pour en acheter !

C'est quoi, un préservatif ?

C'est un autre moyen de contraception qui existe pour les garçons. C'est un capuchon en caoutchouc très fin qui se met sur le zizi des garçons juste avant de faire l'amour.

Comment on met un préservatif ?

Quand le sexe est en érection, on enfile dessus le capuchon de caoutchouc en le déroulant doucement.

Comment ça marche, un préservatif ?

Comme son sexe est recouvert, lorsque le garçon éjacule, le sperme qui est expulsé reste enfermé dans le capuchon de caoutchouc et ne peut pas aller dans le vagin de la fille pour rejoindre l'ovule.

l'hygiène, c'est quoi ?

Qu'on ait une vie sexuelle (c'est quand on fait l'amour régulièrement) ou pas, on doit protéger son corps et le garder propre et sain.

C'est quoi, l'hygiène ?

C'est l'ensemble des précautions à prendre pour éviter d'attraper des maladies et garder un corps sain et propre parce que c'est beaucoup plus agréable que de sentir mauvais !

C'est quoi, une maladie sexuelle ?

C'est une maladie qui se situe au niveau du zizi. Quand on fait l'amour, on peut parfois attraper une maladie sexuelle ou la transmettre. Certaines maladies sexuelles ne sont pas graves du tout, mais d'autres peuvent être très graves, comme le sida.

C'est quoi, le sida ?

Dans le sang, on a des cellules microscopiques qui sont là pour nous protéger des maladies. Ces cellules se promènent dans le sang et quand elles trouvent un microbe ou un virus qui donnent des maladies, elles le mangent pour l'empêcher de nous rendre malades. Le sida est un virus qui tue ces cellules de défense jusqu'à ce qu'il n'y en ait plus. Du coup, quand on tombe malade (par exemple quand on a la grippe ou un rhume), s'il n'y a plus de cellules pour nous défendre contre la maladie, cette maladie se développe et peut nous faire mourir.

Comment on attrape le sida ?

Le sida ne s'attrape pas. Il se transmet. Le virus du sida est présent dans le sang, dans le sperme et dans les sécrétions vaginales. Une personne qui a le sida ne transmet sa maladie que si son sang, ou son sperme ou ses sécrétions contaminés par le virus entrent directement en contact avec le sang d'une autre personne. Mais le virus du sida ne peut pas passer par la salive ou par la peau. Cela veut dire que le sida ne peut pas se transmettre en embrassant quelqu'un ou en le touchant, ou en buvant dans son verre.

Comment le sang ou le sperme contaminé entre en contact avec le sang d'une autre personne ?

Si on injecte avec une seringue le sang d'une personne qui a le sida dans les veines d'une autre personne, le virus du sida va aussi entrer dans les veines. Et quand on fait l'amour, si le sperme ou les sécrétions vaginales d'une personne qui a le sida entrent dans le corps d'une autre personne, le virus du sida entre aussi dans le corps.

Comment on se protège ?

Pour éviter les maladies graves comme le sida, la seule protection est de mettre un préservatif pour faire l'amour.
Cela protège aussi des autres maladies sexuelles.

C'est quoi, un gynécologue ?

C'est le médecin spécialisé dans l'appareil génital des filles. L'appareil génital des filles, c'est les parties du corps qui servent à faire l'amour et à faire des bébés, ça va du vagin à l'utérus.

Pourquoi les filles vont chez le gynécologue ?

À la puberté, les filles commencent à consulter régulièrement un gynécologue pour prendre soin de leur appareil génital. Plus tard, quand elles sont enceintes, les femmes vont chez le gynécologue tout le long de leur grossesse pour qu'il surveille l'évolution du bébé dans le ventre.

Est-ce que les garçons ont un gynécologue ?

On l'appelle andrologue. Les garçons vont beaucoup moins souvent chez ce spécialiste de l'appareil génital.
L'appareil génital des garçons est moins compliqué et mieux protégé que celui des filles, ils ne consultent donc pas aussi régulièrement un andrologue.
Mais si un garçon a une maladie au niveau du sexe, il peut aller voir un andrologue (ou un urologue suivant le pays où il habite) pour être soigné.

les préservatifs

LES PRÉSERVATIFS, ÇA SE TROUVE EN PHARMACIE OU DANS DES DISTRIBUTEURS...

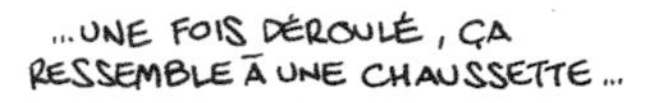
...UNE FOIS DÉROULÉ, ÇA RESSEMBLE À UNE CHAUSSETTE...

ON PEUT EN FAIRE DES BOMBES À EAU...

DES BONNETS DE BAIN...

... ON PEUT AUSSI LE METTRE SUR LE ZIZI POUR SE PROTÉGER ...

TIM
le slip
20.-
TIM
le slip
20.-
TIM
le slip
20.-

6
fais gaffe!

fais gaffe !

Quand on est très jeune, il arrive parfois des choses qu'on ne trouve pas normales, et on n'ose pas toujours en parler. C'est souvent difficile de demander de l'aide quand on a un problème, mais il faut savoir qu'il existe des organismes où les gens sont là pour répondre aux questions difficiles et protéger les enfants quand c'est nécessaire.

C'est quoi, la pédophilie ?

C'est une maladie. Un pédophile est un adulte qui est attiré sexuellement par les enfants. Les pédophiles peuvent être très dangereux car ils essaient d'intimider les enfants pour pouvoir faire des jeux sexuels avec eux. La pédophilie est totalement interdite. Si un adulte essaie de te toucher là où tu ne veux pas, il faut en parler tout de suite à un autre adulte en qui tu as confiance.

C'est quoi, l'inceste ?

Un inceste, c'est avoir des désirs sexuels pour une personne du même sang (son fils, sa fille, son frère, sa sœur, son neveu, sa nièce, etc...). Là aussi, lorsqu'une personne de ta famille essaie de te toucher là où tu ne veux pas, tu dois vite en parler à un adulte en qui tu as confiance. D'une manière générale, sache que personne n'a le droit de te toucher si tu ne le veux pas ou si tu sens que ce geste n'est pas normal. Ton corps est à toi, si tu ne veux pas que quelqu'un te touche, tu dois le lui interdire : ce n'est pas méchant, c'est ton droit.

Comment on sait qu'un geste n'est pas normal ?

Il y a des gestes d'affection qu'on se fait régulièrement et qui sont parfaitement normaux. Mais si tu as l'impression, même tout au fond de ton cœur, qu'un adulte a fait un geste qu'il n'aurait pas dû faire, il faut prévenir un autre adulte.
Le meilleur moyen de savoir s'il se passe quelque chose d'anormal, c'est de poser la question.

Si j'ai un doute ?

Au moindre doute, tu dois en parler.
Si tu ne veux pas parler à quelqu'un de ta famille, tu peux téléphoner à un des organismes qui protègent les enfants, même si c'est seulement pour poser des questions. Les personnes qui travaillent dans ces organismes sont là justement pour te répondre. Tu peux les appeler juste pour te renseigner et même sans donner ton nom.
Mais n'appelle jamais ces numéros pour faire une blague, parce qu'en téléphonant sans raison, tu empêcherais la personne que tu appelles de répondre à un autre enfant qui a vraiment besoin de parler.

besoin d'aide

Voici les numéros de téléphone d'organismes qui peuvent répondre à toutes tes questions et t'aider si tu as un problème.

EN FRANCE

Allô Enfance maltraitée 08 00 05 41 41 ou 119

Le 119 est le numéro principal à appeler quel que soit ton problème. Tu peux téléphoner tous les jours de la semaine à n'importe quelle heure. Si tu sens que quelque chose ne va pas ou que tu es malheureux, la personne que tu auras au téléphone pourra répondre à toutes tes questions et essayer de t'aider. Tu n'as pas besoin de donner ton nom.
L'appel est gratuit et préserve la confidentialité.

Croix-Rouge Écoute 08 00 85 88 58

Tu peux téléphoner du lundi au vendredi de 10 h à 22 h, et le week-end de 12 h à 18 h. Là aussi l'appel est gratuit et des personnes répondront à toutes tes questions. Elles sont là pour t'aider si tu as des inquiétudes.

Fil Santé Jeunes 08 00 23 52 36

Tu peux téléphoner toute la semaine de 8 h à minuit pour poser toutes les questions que tu voudras sur la sexualité, même si c'est seulement pour te renseigner. L'appel est gratuit.

Ligne Azur 08 01 20 30 40

Tu peux téléphoner tous les jours de 17 h à 21 h, sauf le dimanche.
C'est aussi un numéro où tu peux poser toutes les questions que tu voudras sur la sexualité.

Centre français de protection de l'Enfance 01 43 20 65 63

EN BELGIQUE

Écoute-Enfants 103

Tu peux téléphoner tous les jours de la semaine à n'importe quelle heure.
L'appel est gratuit.

EN SUISSE

TELL-ME 147

Tu peux téléphoner tous les jours de la semaine à n'importe quelle heure.
Ce numéro est le même pour toute la Suisse.
Et pour poser des questions sur internet : www.ciao.ch

TAMPAX

zizi
bonus

6 expressions pour nommer le zizi des garçons

C'est mégadur

Pour un garçon... ...de faire pipi avec une érection

Dans certaines tribus aborigènes, pour montrer à une fille son amour, le garçon lui passe un doigt sous l'aisselle puis se le met sous le nez pour le sentir.

Les femmes qui ne peuvent pas avoir de bébé avec le sperme de leur amoureux, peuvent demander du sperme dans une banque prévue pour ça ! La première banque du sperme date de 1973.

La réplique qui TUE

Les amazones étaient un peuple de guerrières qui vivaient il y a très longtemps. Elle tiraient à l'arc en montant à cheval, alors pour ne pas être gênées dans leur tir, elles se coupaient un sein.

la réplique qui
TUE
VOUS HABITEZ CHEZ VOS PARENTS ?
NON. JE VIS DANS LES ÉGOUTS ET JE CROISE TON SOSIE TOUS LES JOURS.
IL Y A 100 ANS, LES GROSSES FEMMES ÉTAIENT CONSIDÉRÉES COMME DES TOP-MODELS.
SI ÇA SE TROUVE, C'EST LA PREMIÈRE MISS USA !?
Une seule éjaculation libère 200 millions de spermatozoïdes.
... ET SUR CES 200 MILLIONS, T'AS PÔ RÉUSSI À ME TROUVER UN P'TIT FRÈRE !?
Au Moyen Âge, on appelait le zizi des filles « cuniculi », ce qui veut dire « petit lapin » en latin et qui a donné plus tard le mot "con" !
TU VEUX VOIR MON PETIT LAPIN ?
DÉGUEULASSE !!!
c'est mégadur
...Pour une fille de courir sans soutien-gorge
1
6 expressions pour nommer le zizi des filles
la cheminée
la foufounette
la bouche sans dents
le trou
GLUPS !
le berlingot
GR
OASIS
le con

6 expressions pour nommer le zizi des garçons
CUI
le petit oiseau
la trompe
l'outil
le dard
l'arrosoir
tchô
le grand chauve à col roulé
Dans l'antiquité, les sportifs grecs pratiquaient leur discipline tout nus ! Le mot "gymnastique" vient d'ailleurs du grec "gymnos" qui signifie "nu" !
EN FAIT, ILS FONT DE LA GYM'...
BEN OUAIS.
HMF MF
Record du baiser le plus long :
environ 30 heures sans arrêter de s'embrasser !
HEUREUSEMENT QUE C'ÉTAIT PÔ TOI...
...T'AURAIS ROUILLÉ !
bébé nageur
Les bébés savent nager dès la naissance. Aujourd'hui, les mamans peuvent même accoucher dans une piscine remplie d'un liquide proche du liquide amniotique !
?
En 1992, un couple marié d'astronautes américains a fait l'amour dans l'espace à bord de la navette spatiale.
SI ÇA SE TROUVE, ILS ONT FAIT ÇA JUSTE AU-DESSUS DE NOS TÊTES ...
... LES DÉGUEULASSES !
Je t'aime partout dans le
anglais
I love you
allemand
ich liebe dich
italien
ti amo
espagnol
te quiero

la réplique qui TUE
TU DANSES ?
NON... J'AI OUBLIÉ MES BOTTES BLINDÉES ...
Les célèbres lutteurs sumotori qui peuvent peser 300 kg sont les idoles des femmes japonaises. Plus ils sont énormes, plus elles les aiment !
6 expressions pour nommer le zizi des filles
l'abricot
MIAOU
le minou
le millefeuille
ARF
le bouledogue
le petit frisé
le coqui
le plus grand soutien-gorge
...fabriqué dans le monde mesure 15 mètres de long !
100 % des femmes du monde avouent aimer les déclarations romantiques
TOP CLASSE : LA DÉCLARATION EN ROTANT.
JE T'AIME
Le zizi des garçons se ratatine dans l'eau froide ou si on le met à l'air à très basse température.
?
grec
s'agapo
créole
mo content toi
hollandais
ik houd van je
suédois
jag älskar dig
arabe
ouhibouk
japonais
ai shite imasu
portugais
eu te amo
thaïlandais
chan rak khum
chinois
wo ai ni
Tahitien
e here nei vau ia oe
russe
ia tibia lioubliou
turc
seni seviyorum

Les cadeaux qui font plaisir

- Un bouquet de fleurs
- Un bijou
- Une boîte de bonbons
- Un beau livre
- Une bande dessinée
- Un CD à la mode
- Une bouteille de parfum
- Un gadget rigolo
- Un vêtement

Les petits gestes qui plaisent

L'inviter au cinéma ou à regarder une vidéo à la maison

L'inviter à danser pendant une fête

Cacher un petit mot doux dans son pupitre

Lui envoyer une lettre d'amour parfumée

Lui faire un compliment devant les copains ou les copines

L'aider à tricher pendant les interros

le garçon de tes rêves

Quel style de garçon te fait le plus craquer ?

VOYOU

GROOVY

FRIMEUR

CLASSE

MUSCLÉ

FRAGILE

la fille de tes rêves

Quel style de fille te fait le plus craquer ?

FIDÈLE

CÂLINE

SPORTIVE

MYSTÉRIEUSE

IMPRÉVISIBLE

index

méga-merci à

Fabrice Le Jean

Judicaëlle Ménard

Christine Noyer

Véronique Roland

Tébo

ZEP
titeuf
les albums

titeuf

Dieu, le sexe et les bretelles
ÉDUCATION SEXUELLE
Glénat

ZEP
titeuf 2
L'Amour, c'est pô propre...
Glénat

ZEP
titeuf 3

ça épate les filles...
Glénat

ZEP
titeuf 4
c'est pô juste...

ZEP
titeuf 5
et le derrière des choses
Glénat

ZEP
titeuf 6
tchô, monde cruel
Glénat

TU LIS QUOI ?
C'EST PAS POUR LES P'TITS
tchô!
La collec...
Glénat

ZEP
titeuf 7
le miracle de la vie
Glénat

ZEP
titeuf 8
lâchez moi le slip !
Glénat

ZEP
titeuf 9
la loi du préau
Glénat

tchô!
LE MÉGAZINE
TITEUF TOP CLASSE !
N°54
CADÔ
Le Méga Poster !
tchô!
LE MÉGAZINE · N°55
C'est le printemps !
JEU : Promenons-nous dans les bois avec RAGNAROK
Le Méga Poster
CADÔ
TCHÔ! LE MÉGAZINE · NOUVELLE FORMULE !
tchô!
N°56
UN GIGAPOSTER
CADÔ
Les meilleurs poissons d'avril de TITEUF
EXCLUSIF : Les Tchô! Music Awards !
tchô!
LE MÉGAZINE N°58
UN POSTER CADÔ MÉGAGROOVE !
L'ÉCOLE, RAS LE SLIP !
tchô!
LE MÉGAZINE · N°57
BIENVENUE DANS LE CYBERCOOL
CADÔ
UN Giga Poster
tchô!
LE MÉGAZINE · N°62
MÉGATROUILLE !
UN NUMÉRO TCHÔRRIBLE
SCOOP!
tchô!
MÉGAZINE · N°60
ROI DE LA FRIME !
Les vacances de NINI PATALO !
Fille ou Garçon ? 2 couvertures au choix !
tchô!
LE MÉGAZINE
Rentrée des classes :
LE LOOK
POSTER CADÔ
Fille ou Garçon ? 2 couvertures au choix !
tchô!
LE MÉGAZINE N°61
Rentrée des classes :
LE LOOK qu'il te faut
POSTER CADÔ
LOU
tchô!
LE MÉGAZINE · N°59
L'été sera TCHÔ!
Un poster Mégasurf !
Et plein de jeux pour passer l'été !

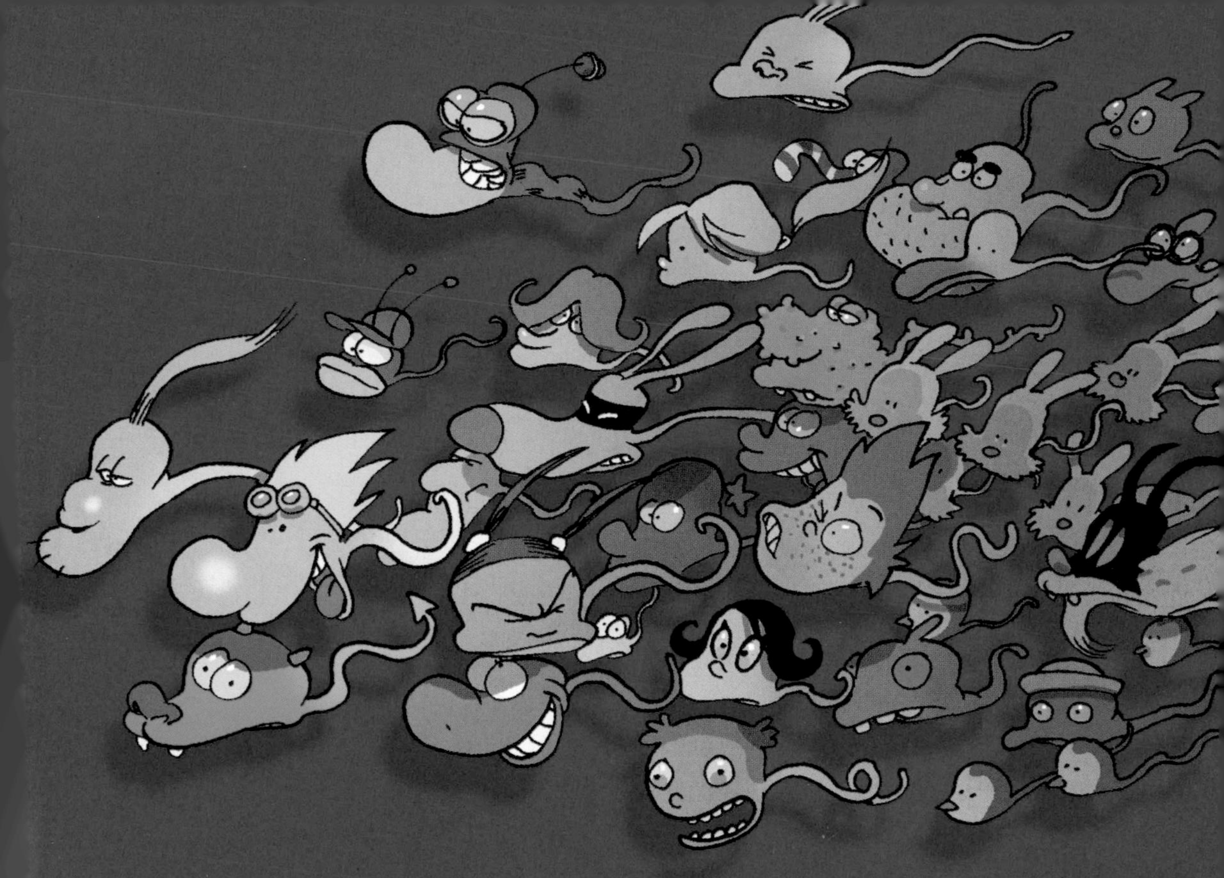